보고 듣고 생각하는 어린이를 위하여 …

어린이를 위해서 어른이 제일 먼저 해야 할 일은 무엇일까요? 그것은 어린이에게 우리가 사는 세상이 아주 넓고, 그 세상에는 신기한 일들이 많다는 것을 알려 주는 것입니다. 그러나 그러한 사실을 알려 주기 위해서 어린이를 가르치려고 해서는 안 됩니다. 어린이는 언제나 배우려고 하기보다는 좋은 것을 스스로 받아들일 뿐이기 때문입니다. 우리는 이와 같은 교육적 효과와 방법을 생각하면서 다음과 같이 마당 애니메이션 전래 동화를 만들었습니다.

보는 어린이를 위한 …

글 : 동화 작가, 아동문학 평론가, 시인, 아동문학 전공 교수 등이 참여하여 원작의 감동을 그대로 살리는, 쉽고 재미있는 글을 써 주셨습니다.

그림 : 이야기의 감동을 생생하게 느끼면서 어린이들이 무한한 상상의 날개를 펼칠 수 있도록 오랫동안 애니메이션을 전문으로 그려 온 화가들이 정성을 다해 그림을 그렸습니다.

듣는 어린이를 위한 …

카세트 속의 연극 : 40편의 이야기를 생생한 효과음과 주제곡을 배경으로 재미있게 연극으로 꾸몄습니다. 유명한 성우들에 의해 연극은 마치 현실처럼 실감 있게 펼쳐집니다.

40곡의 노래 : 어린이들이 이야기를 더욱 흥미있게 읽고 듣도록 이야기마다 노래를 만들었습니다. 40곡의 주제곡은 오랫동안 어린이들의 가슴에 이야기의 감동을 남게 할 것입니다.

생각하는 어린이를 위한 …

생각해 봅시다 : 이야기의 내용이 현실과 어떤 관련이 있는지 어린이로 하여금 생각해 보게 하는 자리를 만들었습니다.

엄마와 함께 : '생각해 봅시다'에서 제시된 주제를 어린이가 엄마와 함께 풀어 나가는 자리입니다. 어린이들의 느낌과 생각을 자연스럽게 들어 보는 자리이기도 합니다.

마당 애니메이션 전래동화

32

임금님 귀는 당나귀 귀

지은이 : 그리스 전래 동화 / 엮은이 : 황충상

도서출판 마당

옛날, 그리스에 미다스라는 임금님이 살고 있었습니다.

미다스 임금님은 성의 사치스러운 생활을 그다지 좋아하지 않았습니다.

"나는 성보다는 숲이나 들이 더 좋아. 숲과 들을 산책하노라면 내가 좋아하는 판 신의 피리 소리를 들을 수 있고, 눈부신 태양 아래서 맑은 공기도 마음껏 마실 수 있거든."

미다스 임금님은 판 신을 아주 좋아했습니다.

판 신은 *수렵의 신으로, 허리 위쪽은 사람이었지만, 뿔과 다리는 양의 모습이었습니다.

"자, 오늘도 아름다운 숲으로 산책을 나가자."

수렵 : 사냥. 산이나 들의 짐승을 잡는 일.

"필릴리리, 릴리——."

미다스 임금님이 숲 속으로 들어서자 판 신의 피리 소리가 들려 왔습니다.

"아, 판 신이 피리를 불고 있구나. 판 신의 피리 소리는 언제 들어도 정말 아름다워."

미다스 임금님은 판 신의 피리 소리에 넋을 잃었습니다.

미다스 임금님의 주위에는 꽃의 요정들도 모여 판 신의 피리 소리를 듣고 있었습니다.

"아, 어떻게 저런 아름다운 소리를 낼까?"

피리 소리는 점점 가까워졌습니다.

미다스 임금님은 판 신을 만났습니다.

"판 신, 당신의 피리 소리는 정말 아름답군요."

"판 신의 피리 소리를 누가 따르겠어요?"

꽃의 요정들도 모두 판 신의 피리 소리를 칭찬했습니다.

"고맙군요. 나의 피리 소리를 칭찬해 주니……. 나도 내 피리 소리가 아름답다고 생각해요."

판 신은 미다스 임금님과 꽃의 요정들, 그리고 숲 속의 짐승들이 모두 자신의 피리 소리를 칭찬하자 우쭐해졌습니다.

"아마 음악의 신인 아폴론도 나의 피리 솜씨를 따라오지는 못할 거예요."

판 신은 드러내 놓고 자기 자랑을 했습니다.

아폴론 신이 이 소문을 듣고, 판 신을 찾아왔습니다.

'음악의 신인 나를 무시하다니 !'

"판 신, 당신은 자신의 피리 소리를 너무 자랑하는 것 같소. 마치 이 세상에는 당신의 피리 소리보다 더 아름다운 소리는 없다고 생각하는 것 같은데, 나의 하프 소리와 한번 비교해 봅시다."

"좋아요, 한번 겨루어 보지요."

두 신은 서로 자기가 더 아름다운 소리를 낸다고 믿고 있었습니다.

*심판은 주위의 다른 신들이 맡기로 했습니다.

'참, 재미있겠군.'

미다스 임금님은 기대를 하며 귀를 기울이고 있었습니다.

"판 신께서 먼저 피리를 불어 보오."

아폴론 신이 말했습니다.

"그러지요. 누가 먼저 시작하든 결과는 마찬가지일 테니까."

심판 : 운동 경기 따위의 이기고 짐을 가리는 일.

이윽고 판 신의 아름다운 피리 소리가 흘러나왔습니다.

그 소리는 숲 속 멀리까지 흘러갔습니다.

"아, 판 신의 피리 소리야. 어쩌면 저렇게 아름다울 수가 있을까 !"

숲 속에서 이 소리를 듣던 짐승들은 너무나 아름다운 소리에 넋을 잃은 듯 제자리에 멈춰 서서 귀를 기울였습니다.

미다스 임금님도 마찬가지였습니다.

"과연 판 신의 피리 소리는 아름답구나. 누구도 저렇게 아름다운 소리를 낼 수는 없을 거야."

판 신의 피리 소리가 끝났습니다.

"훌륭하오, 판 신."

심판을 맡은 신들이 말했습니다.

"이제 아폴론 신의 하프 소리를 듣고 싶습니다."
판 신이 말했습니다.

"알았소. 나의 하프 소리를 들어 보오."
아폴론 신은 천천히 하프를 타기 시작했습니다.

"아, 이 *장엄하고도 화려한 하프 소리……. 내가 지금 꿈을 꾸고 있는 게 아닐까? 꿈 속이 아니라면 이렇게 아름다운 하프 소리는 들을 수 없어."

누가 더 아름다운 음악 소리를 내는지 심판하기 위해 모였던 신들은, 아폴론 신의 하프 소리를 듣자 모두 눈을 감고 그 소리에 취했습니다.

"승부는 결정났어."
"하프 소리가 피리 소리보다 훌륭했어."
신들이 이렇게 말했습니다.

장엄하다 : 크고 엄숙하다.

아폴론 신의 하프 소리가 그쳤습니다.

신들은 모두 아폴론 신 앞으로 다가가 *승리를 축하했습니다.

"아폴론 신, 정말 훌륭하였소."

"당신의 하프 소리보다 더 아름다운 소리는 없소이다."

그러나 미다스 임금님의 생각은 달랐습니다.

"아니오, 판 신의 피리 소리가 더 훌륭하였소."

이 뜻밖의 말에 신들은 깜짝 놀랐습니다.

아폴론 신은 아름다운 소리를 못 알아듣는 미다스 임금님에게 화가 났습니다.

"미다스, 그대의 귀는 어떤 소리가 아름다운지도 구별하지 못하는구려. 귀가 작아 그런 모양이니 내가 귀를 크게 만들어 주리다."

승리 : 싸움이나 경기 등에서 이김.

이런 일이 있은 뒤, 성으로 돌아온 미다스 임금님은 귀가 이상해지는 것을 느꼈습니다.

"어, 귀가 이상하다. 내 귀가 자꾸 커지네."

미다스 임금님은 자신의 귀를 만져 보고 깜짝 놀랐습니다.

"아니, 귀에 털까지 났어. 이 일을 어쩌나. 아폴론 신이 자기 편을 들지 않았다고 내 귀를 이렇게 만들어 놓았구나."

미다스 임금님의 귀는 당나귀 귀처럼 이리저리 움직였습니다.

"아이고, 큰일났구나. 당나귀 귀가 되다니. 앞으로 어떻게 사람들 앞에 나서야 하나."

미다스 임금님은 귀를 쫑긋쫑긋하며 그 자리에 주저앉았습니다.

미다스 임금님은 할 수 없이 귀를 가리는 두건을
머리에 썼습니다.

　"내 귀가 당나귀 귀라는 것을 알면 사람들이
얼마나 웃을까. 이제부터 이 두건을 써야겠다."

　그 이후로 미다스 임금님은 항상 두건을 쓰고
있었습니다.

　어느 날, 미다스 임금님의 행렬이 큰길을 지날
때였습니다.

　"이상해. 우리 임금님은 항상 두건을 쓰고 있어."

　　　"그래. 아무도 임금님이 두건을 벗은
것을 본 적이 없어."

　　　미다스 임금님은 사람들이 수군대
는 것을 다 들을 수 있었습니다.

　　　'안 되겠다. 어서 성으로 돌아가
자. 무슨 말이 나올지 모르겠구나.'

그런데 사람들이 이상하게 여기는 것이 한 가지
또 있었습니다.

"여보게, 성 안으로 들어간 이발사는 다시는 성
밖으로 나오지 못한다며?"

"그렇다는군. 나도 그런 이야기를 들었어. 임금님
의 머리를 이발하러 가서는 영영 소식이 없대."

"이상한 일이야. 왜 그럴까? 결국 이발사는 한
사람도 남지 않겠네."

사람들은 모이면 임금님의 두건과 성 안으로
사라진 이발사에 대해 이야기했습니다.

미다스 임금님은 이제 산책하는 일도 없이
성 안에서 걱정에 싸여 지냈습니다.

"아, 왜 이리 머리카락은 빨리 자라는
지 모르겠네. 또 이발사를 불러 와야
겠구나."

어느 날, 또 한 사람의 이발사가 성 안으로 들어
가게 되었습니다.

"성 안으로 들어가면 영영 돌아오지 못한다는데
나도 오늘이 마지막이구나."

그러나 이 이발사는 용기를 내었습니다.

"아니야. 나는 다시 돌아오고야 말 거야. 성 안에
서 무슨 일이 일어났는지 알아 가지고 돌아올
거야."

이발사는 마음을 굳게 먹고 성으로 갔습니다.

성 문은 굳게 닫혀 있었습니다.

성 앞에 온 이발사는 겁이 났지만
꾹 참았습니다.

"무서워할 것 없어. 무서워한다고
일이 *해결되는 것은 아니야."

이발사는 성 문을 두드렸습니다.

해결 : 얽힌 일을 풀어서 잘 되도록 끝을 냄.

이윽고 이발사는 성 안으로 들어가 미다스 임금님 앞으로 안내되었습니다.

"어서 오게. 자네가 이발사인가?"

"네, 그렇습니다."

방 안에는 미다스 임금님과 이발사뿐이었습니다.

임금님은 주위를 둘러보더니 두건을 벗었습니다.

"자, 내 머리카락을 잘라 주게."

그 때 이발사는 깜짝 놀랐습니다.

'저 귀는 사람의 귀가 아닌 당, 당나귀 귀야.'

이발사는 하마터면 소리를 지를 뻔했습니다.

그러나 곧 태연하게 임금님의 머리카락을 자르기 시작했습니다.

'임금님이 두건을 안 벗는 이유를 이제야 알았어.'

"임금님, 이제 다 끝났습니다."

"으음, 수고했네. 그런데 자네에게 한 가지 물어
보겠네. 내 귀가 다른 사람과 어디가 다른가?"

"네? 귀요?"

이발사는 뜻밖의 질문에 어떻게 대답해야 좋을지
몰랐습니다.

그러나 이발사는 얼른 대답했습니다.

"임금님의 귀는 다른 사람의 귀와 다른 데가
없습니다."

"뭐라고? 정말이냐?"

"네, 정말입니다."

"알겠네. 자네는 집으로 돌아가도 되겠
어. 그러나 성 밖에서 딴소리를 하면
자네는 *쥐도 새도 모르게 없어질
거야."

쥐도 새도 모르게 : 아무도 모르게 감쪽같이.

"네, 임금님. 제가 딴소리를 하다니요……. 임금님
의 귀는 다른 사람의 귀와 조금도 다른 데가
없는걸요."

"알겠네. 돌아가게."

이발사는 무사히 집으로 돌아왔습니다.

성 안으로 들어갔던 이발사가 돌아왔다는 소문은
곧 나라 안에 퍼졌습니다.

"여보게, 이번에는 이발사가 무사히 돌아왔다고
하던데 ?"

"그러게 말일세. 무슨 일이 있었는지 궁금하군."

사람들은 이발사를 찾아와 물었습니다.

"다른 이발사들은 어찌 되었소 ?"

"당신은 어떻게 돌아왔소 ?"

이발사는 모른다고만 했습니다.

"나는 몰라요. 아무것도 몰라요."

사람들은 이발사의 행동이 어딘가 이상하다고 생각했습니다.

　　"여보시오, 당신은 무엇인가를 숨기고 있는 것 같은데, 그러지 말고 이야기를 좀 해 봐요."

　　"이발을 하려면 두건을 벗어야 하는데 임금님이 두건을 순순히 벗던가요?"

　　"당신은 두건을 벗은 임금님을 보았나요?"

　　사람들은 궁금한 점을 계속 물었지만, 이발사는 여전히 모른다는 대답뿐이었습니다.

　　　　　"속 시원히 얘기 좀 해 보시오."

　　　　　"정말 아무것도 모른단 말이오? 그럴 리가 없어요. 당신은 지금 거짓말을 하고 있는 게 틀림없어요."

　　사람들은 이발사를 *원망하며 돌아갔습니다.

원망 : 남을 못마땅하게 여기어 탓함.

그러나 이발사의 집에는 사람들의 발길이 그치지 않았습니다.

어느 날, 성 안으로 들어간 뒤 소식이 끊긴 이발사들의 아내들이 몰려왔습니다.

"내 남편의 소식을 좀 알려 주세요. 당신은 성 안의 사정을 알 것 아니에요?"

"나는 아무것도 몰라요. 성 안에서 아무도 만난 적이 없어요."

"임금님은 만났을 것 아니에요?"

이발사는 이제 입을 다물고 있기가 점점 힘이 들었습니다.

가슴이 답답해 왔습니다.

"아, 내 속을 전부 털어놓고 싶구나. *비밀을 지키기가 이렇게 힘들 줄은 몰랐어."

비밀 : 숨기어 남에게 드러내 알리지 아니하는 일.

"어디 가서 이 답답한 가슴을 시원하게 털어놓을 수 없을까?"

이발사는 *고민에 싸였습니다.

"아무도 없는 곳에 가 시원하게 소리라도 질러 봤으면 좋겠구나."

어느 날, 이발사는 견디다 못해 밖으로 뛰어나갔습니다.

"강변으로 가 보자. 거긴 아무도 없을 거야."

그러나 이발사가 강변을 향해 걷기 시작했을 때 뒤에서 누군가가 그를 따라왔습니다.

"임금님이 나를 감시하라고 보낸 사람이구나. 내가 어디로 가는지 뒤를 밟고 있는 게 틀림없어."

이발사는 재빨리 나무 뒤로 몸을 숨겼습니다.

고민 : 괴로워서 몹시 속을 태움.

이발사는 뒤따르는 사람을 겨우 따돌리고 강변에 다다랐습니다.

"아무도 없구나. 여기서는 큰 소리로 비밀을 털어놓아도 듣는 사람이 없겠지."

그러나 이발사는 망설였습니다.

"아니야. 강 끝에서 누군가 듣고 있을지 몰라."

이발사는 한참 생각하다가 땅을 팠습니다.

"땅 속에다 소리를 지르고 묻어 버리는 것이 좋겠어."

구덩이를 다 파자 이발사는 구덩이에 대고 큰 소리로 외쳤습니다.

"임금님 귀는 당나귀 귀……!"

"임금님 귀는 당나귀 귀……!"

이발사는 비밀을 털어놓자 답답하던 가슴이 시원해졌습니다.

"아, 시원해. 막혔던 가슴이 확 뚫렸어. 이제 답답하면 이 곳에 나와 소리를 질러야겠어."

이발사는 구덩이를 흙으로 꼭꼭 덮었습니다.

그 후 이발사는 거의 날마다 강변에 나와 구덩이를 파고 소리를 질렀습니다.

그리고 소리를 지른 뒤 흙으로 구덩이를 덮었습니다.

그러는 동안 강변에는 갈대가 무성해졌습니다.

그런데 신기한 일이 일어났습니다.

"임금님 귀는 당나귀 귀……!"

"임금님 귀는 당나귀 귀……!"

바람이 불 때마다 갈대 숲에서는 이런 소리가 들렸습니다.

"뭐? 임금님 귀가 당나귀 귀라고?"

"그래. 임금님 귀는 당나귀 귀래."

이 소문은 곧 나라 안에 퍼졌습니다.

사람들은 서로 수군댔습니다.

"맞았어. 그래서 임금님은 항상 두건을 쓰고 계신 거야. 당나귀 귀를 감추려고."

"얼마나 갑갑하실까?"

소문은 미다스 임금님의 귀에까지 들어갔습니다.

미다스 임금님은 *노발대발했습니다.

"어서 이발사를 잡아 오너라!"

이발사는 미다스 임금님 앞에 잡혀 왔습니다.

"네가 약속을 어기고 소문을 퍼뜨린 것이지?"

"아, 아닙니다. 저는 아무 말도 하지 않았습니다."

이발사가 약속을 지켰다고 하자, 미다스 임금님은 더욱 화가 났습니다.

노발대발하다 : 대단히 성을 내다.

"거짓말 마라."

"정말입니다. 억울합니다."

"그럼 누가 내 비밀을 알고 소문을 냈느냐?"

이발사는 미다스 임금님에게 그 동안 있었던 일을 모두 털어놓았습니다.

"그게 사실이냐?"

"네. 저는 강변에 나가 소리를 지른 적은 있어도 다른 사람들에게 말을 한 적은 없습니다."

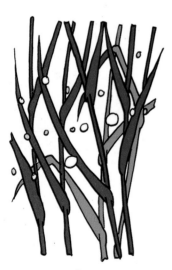

미다스 임금님은 신하들을 강변으로 보내 이발사의 말이 사실인지 확인을 했습니다.

"임금님 귀는 당나귀 귀……!"

"임금님 귀는 당나귀 귀……!"

신하들이 강변에 도착했을 때, 갈대 숲은 이렇게 소리내며 흔들렸습니다.

신하들은 성으로 돌아와 미다스 임금님께 사실을 말했습니다.

"음, 이발사가 거짓말을 한 것이 아니구나. 얼마나 답답했으면 혼자 소리를 질렀을까?"

그러더니 미다스 임금님은 두건을 훌렁 벗어 던졌습니다.

"잘못은 나에게 있어. 흉한 비밀을 감추려고 죄 없는 사람의 입을 막으려 하다니……."

미다스 임금님은 신하들에게 명령을 내렸습니다.

"지금까지 옥에 가두었던 이발사들에게 상을 주어 집으로 돌아가게 하라."

그 뒤, 미다스 임금님은 모든 사람의 *하소연을 잘 들어 주는, 좋은 귀를 가진 훌륭한 임금님이 되었습니다.

하소연 : 억울하고 딱한 사정을 간곡히 말함.

밤 말은 쥐가 듣고……

우리 나라 속담에 '밤 말은 쥐가 듣고 낮 말은 새가 듣는다.' 는 말이 있습니다.

밤에 하는 말은 쥐가 듣고, 낮에 하는 말은 새가 듣기 때문에 어떤 경우에도 비밀은 없다는 뜻입니다.

비밀은 마치 냄새와 같아서 보이지도 만져지지도 않지만 아무리 싸고 또 싸도 새어나오는 법입니다.

더욱이 그 비밀이 나쁜 비밀일 때는, 아주 고약한 냄새를 풍기게 됩니다.

당나귀 귀를 가진 임금님은 자신의 흉한 귀를 비밀로 하기 위해 많은 사람들을 괴롭혔습니다.

● 나에게도 비밀이 있는지 생각해 봅시다.

아름다운 비밀

엄마 : 영이야, '임금님 귀는 당나귀 귀'를 읽고 나서 무슨 생각을
　　　 했니?

영이 : 비밀을 지키는 일은 참 힘들다는 생각을 했어요.

엄마 : 그래? 또 어떤 생각을 했니?

영이 : 억지로 비밀을 지키게 하는 사람은 나쁜 사람이라는 생각
　　　 도 했어요.

엄마 : 우리 영이가 많은 것을 생각했구나. 모두 옳은 생각이다.
　　　 그래서 엄마는 비밀이 없는 세상이 되었으면 좋겠어.

영이 : 그렇지만 엄마, 아름다운 비밀도 있잖아요.

엄마 : 아름다운 비밀?

영이 : 네. 제 이야기를 들어 보세요. 우리 반에 철이와 돌이라는
　　　 친구가 있어요. 둘은 아주 단짝이에요. 공부가 끝나면 둘이
　　　 서만 곧장 집으로 가 버려요. 우리들은 철이와 돌이에게

　　불만이었어요. 저희끼리만 다닌다고……. 그런데 요즘에야 철이와 돌이가 둘이서만 다니는 이유를 알았어요. 철이는 신문을 돌리는 소년 가장인데, 돌이가 저녁마다 철이를 도와 함께 신문을 돌린대요. 그런 것을 아무도 몰랐어요.

엄마 : 정말 아름다운 비밀이었구나.

영이 : 우리는 그 비밀을 알고 모두 부끄러워했어요.

엄마 : 그래, 성경에도 왼손이 하는 일을 오른손이 모르게 하라고 하는 말씀이 있단다.

영이 : 그래서 저는 아름다운 비밀이 가득 있는 세상이 되었으면 좋겠어요.

엄마 : 그래, 영이 말이 맞다. 아름다운 비밀이 많은 세상이 되면 철이네처럼 가난한 집도 없을 거야.

글 · 엮은이

지은이 / 그리스 전래 동화

엮은이 / 황충상
소설가
한국일보 신춘문예에 소설이
당선되어 등단하였다.
대표작으로 '빈 곳', '꽃을
드니 미소짓다', '불의 집에서'
등이 있고, 창작집으로
'뼈 있는 여자'가 있다.

마당 애니메이션 전래동화
③② 임금님 귀는 당나귀 귀
엮은이 / 황충상
그린이 / 가라뫼 프로덕션
펴낸이 / 백원기
펴낸곳 / 도서출판 마당
서울특별시 강남구 역삼동 605-8
전화 (553) 0513~5
FAX 553-6157
등록 제 3-357호

1994년 1월 10일 박음
1994년 1월 15일 펴냄

값 278,000원
전40권 (테이프 21개 포함)

* 잘못 만들어진 책은 바꾸어 드립니다.
ISBN 89-446-2033-4
ISBN 89-446-2001-6 (전40권)